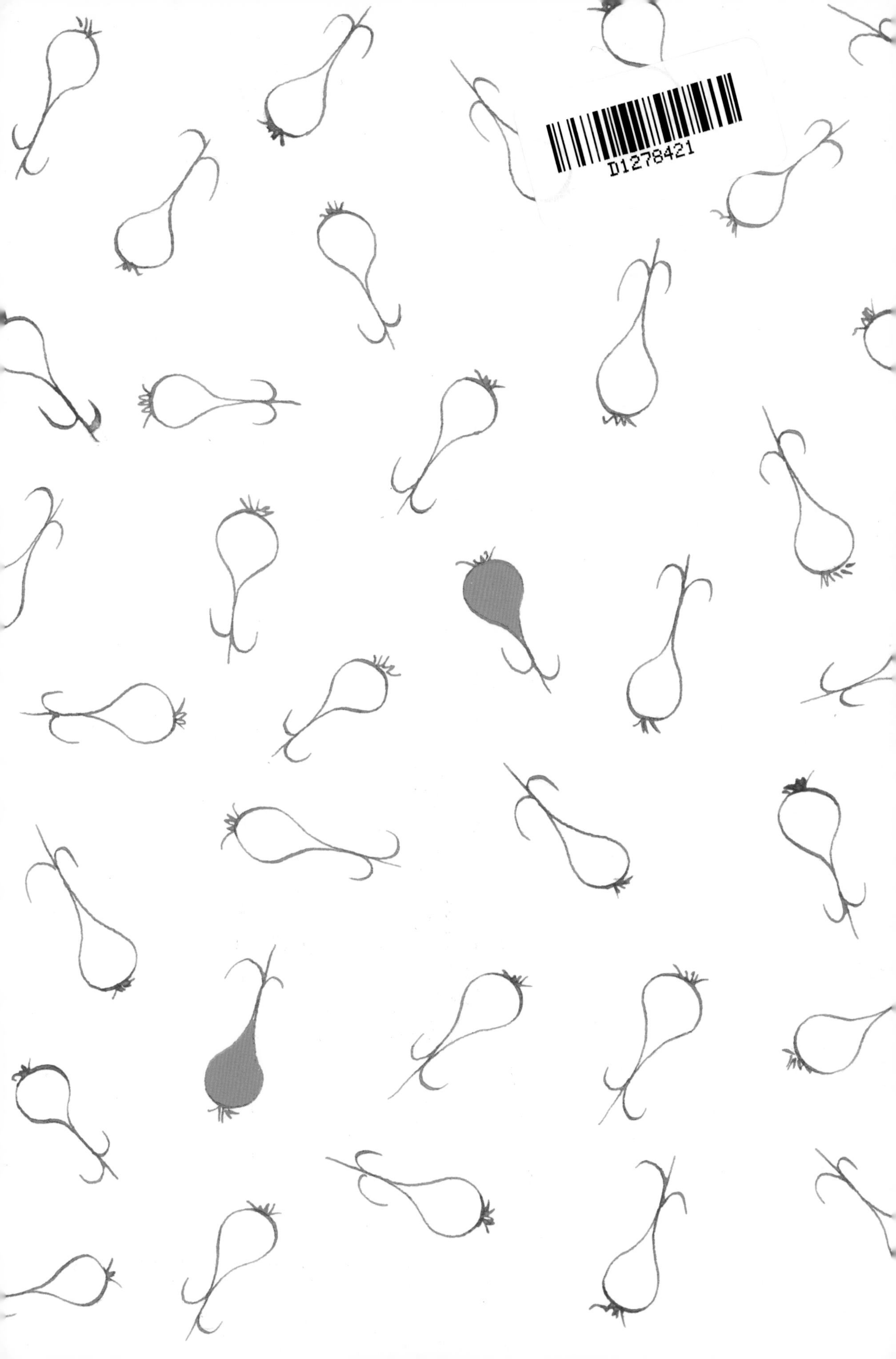

Primera edición: febrero de 2012

info@narvaleditores.com
www.narvaleditores.com

ISBN: 978-84-939381-5-4
DL: M-1779-2012

IMPRESIÓN: Elecé Industrias Gráficas

Un mar de cebollas

Laura Borràs

narval

Había una vez un castillo muy antiguo cerca del mar.
En él vivían un rey, una princesa y toda la corte.
La vida en el castillo era plácida,
misteriosamente tranquila.

Solo de vez en cuando recibían ataques inesperados de piratas con sus parches en el ojo y su terrible colección de gritos salvajes; o de guerreros con lenguas incomprensibles y ropas vistosas. O de tribus enteras de lo más extrañas, con hombres muy altos, o muy pequeñitos, o muy gordos o muy delgados; o incluso hombres-perro u hombres-luna.

Sin embargo, en el castillo nadie tenía miedo.
Al cabo de tanto tiempo, de tantas batallas
victoriosas, sabían muy bien que nadie podía
vencerlos, pues todos los enemigos
desaparecían antes de traspasar las murallas.

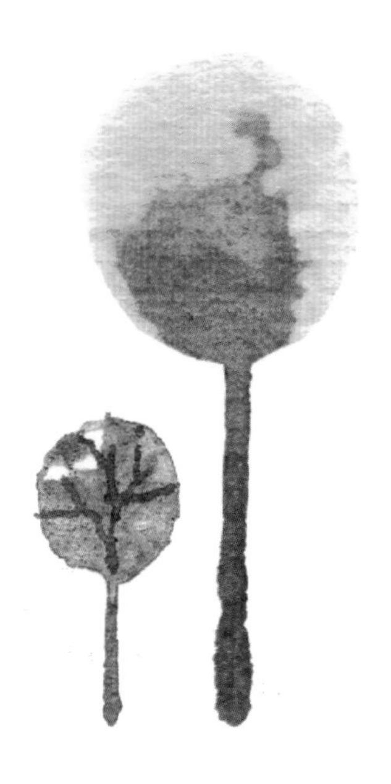

¿Y la princesa? No sabemos su nombre, como tampoco el del castillo. Pero era una princesa, eso seguro. Y aunque las únicas crónicas que se conservan están mojadas y con la tinta muy borrosa, sabemos que era curiosa y atrevida.

La pobre se aburría en aquel castillo al que nunca llegaba nada nuevo: es cierto que no había muchas batallas, pero tampoco los visitaba nadie.

Día tras día bajaba sola al mar. Cada vez se adentraba en lugares más profundos. Veía en él tanta vida, tantos seres distintos, colores, formas y olores... a veces solo dejaba pasar las horas persiguiendo tonos de azul.

Nadie sabía que había
un dios (o un mago, no
está muy claro) que vivía
en el mar y que desde
hacía mucho tiempo
estaba enamorado
de la princesa.

Cuando ella estaba
en el salón real
o en su habitación,
la observaba en
silencio desde el mar.
Y también la protegía:
hacía desaparecer
a todo el que se
acercaba al castillo.

Un día en que la princesa se estaba bañando,
el dios-mago no pudo contenerse: la agarró
por un pie y tiró de ella suavemente hacia abajo.
Al principio ella se asustó mucho, pero después
descubrió el misterio del castillo y el dios-mago
le mostró el mar. La princesa se enamoró.

Aquello trajo muchos problemas a los habitantes del castillo, que no solo debían buscar a la princesa, sino también defenderse. ¡Los enemigos ya no desaparecían! El dios-mago estaba tan ocupado que había olvidado protegerlo.

Todo el mundo estaba muy triste, especialmente el rey. No paraba de llorar y, con tantas lágrimas, había conseguido inundar la habitación y el comedor reales. Y así siguió durante meses.

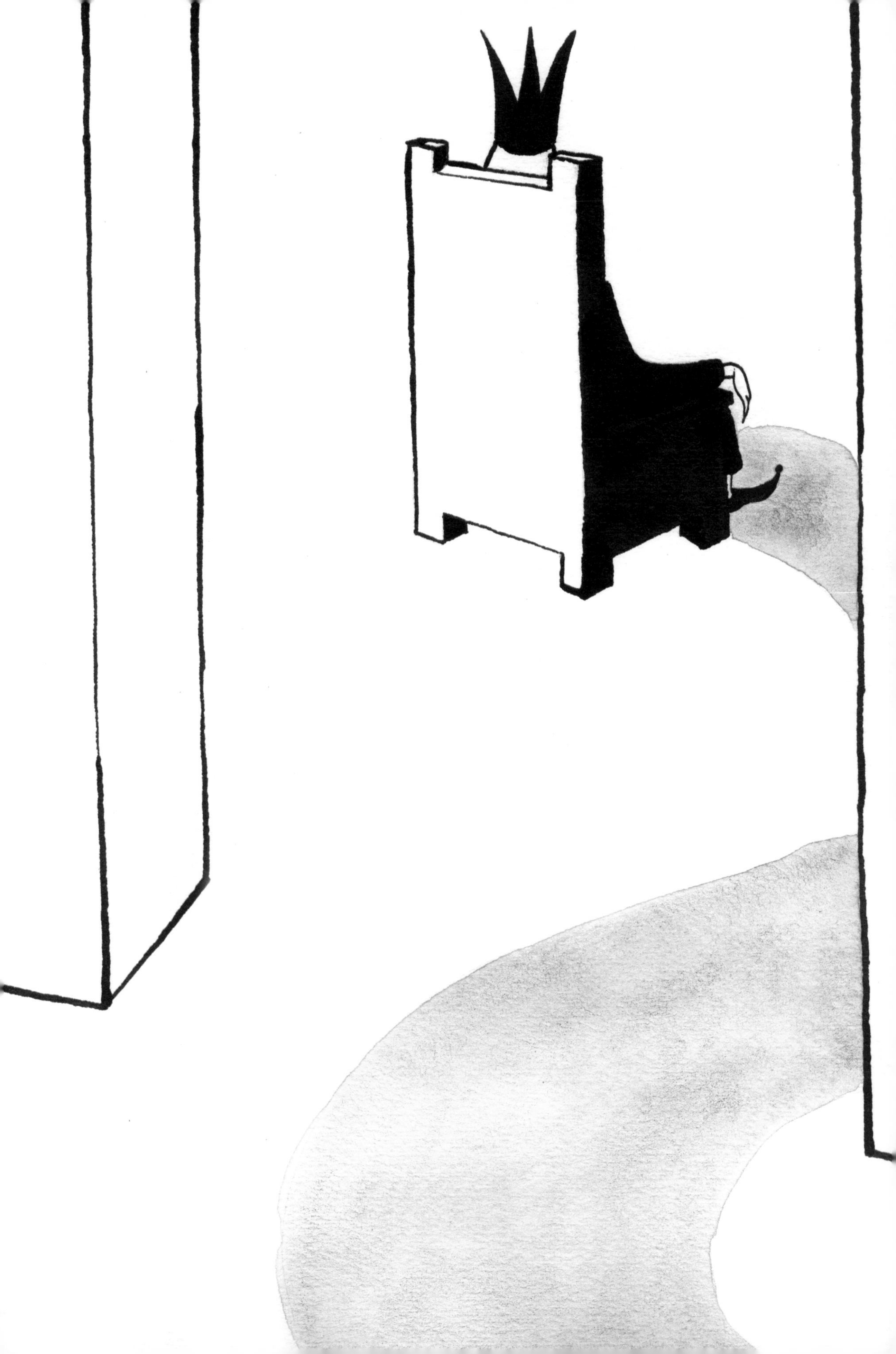

La princesa, entre tanto, había descubierto el secreto del castillo y la vida submarina y que el mar hacía cosquillas, ¡se reía tanto! Pero también empezaba a echar de menos a su gente, sus cosas, sus libros. Le hubiera gustado llevar el castillo bajo las aguas, pero era un poco pesado, y con tantos habitantes...

La tarde en que por fin se acercó al castillo vio desde el mar a su padre comiendo solo. El rey lloraba. De vez en cuando bebía un sorbo de un vino muy dulce, regalo del médico de la corte. El vino se le iba aguando y en la estancia las lágrimas del rey ya formaban un pequeño lago.

Sus zapatillas flotaban en el lago como barcos pirata en miniatura. Quizá el rey también sentía cosquillas en los pies, porque se veían unas olas pequeñitas, pero ni siquiera se fijaba en ellas. No hacía más que llorar.

Entonces la princesa lo entendió: todo el mundo tenía que llorar mucho. No solo porque así se sentirían mejor, sino porque después de varios meses de tanta lágrima, el castillo y sus alrededores se habrían inundado y quedarían bajo el mar. Solo había que pensar en cómo lograr que lloraran tanto.

Con la ayuda del dios-mago convirtió toda la comida del castillo en cebollas. Y así, en todas las cocinas lloraron a lágrima viva. Los niños lloraron aún más al ver que solo había... ¡cebollas y más cebollas! Poco a poco fueron desapareciendo los colores de los objetos porque los tintoreros ya no veían y no teñían las telas. Y los pintores no podían pintar y lloraban más que nadie.

Ni siquiera por Navidad hubo perdón: cebolla sola, sin tomate ni queso. ¡Qué terrible! En los alrededores se lo conocía ya como Castillo de Cebollas. Aquello sí que fue el colmo.

Pero no hay por qué preocuparse:
todos vivieron de lo más felices
en el mundo bajo las aguas,
también la princesa y el dios-mago.
Y en las crónicas, aún bastante
húmedas, dice: «Si miras fijamente la
línea del horizonte en un día claro (y
en la dirección correcta), quizá puedas
entrever la bandera del castillo.
Un poco estropeada, la de la torre
más alta... con una cebolla».

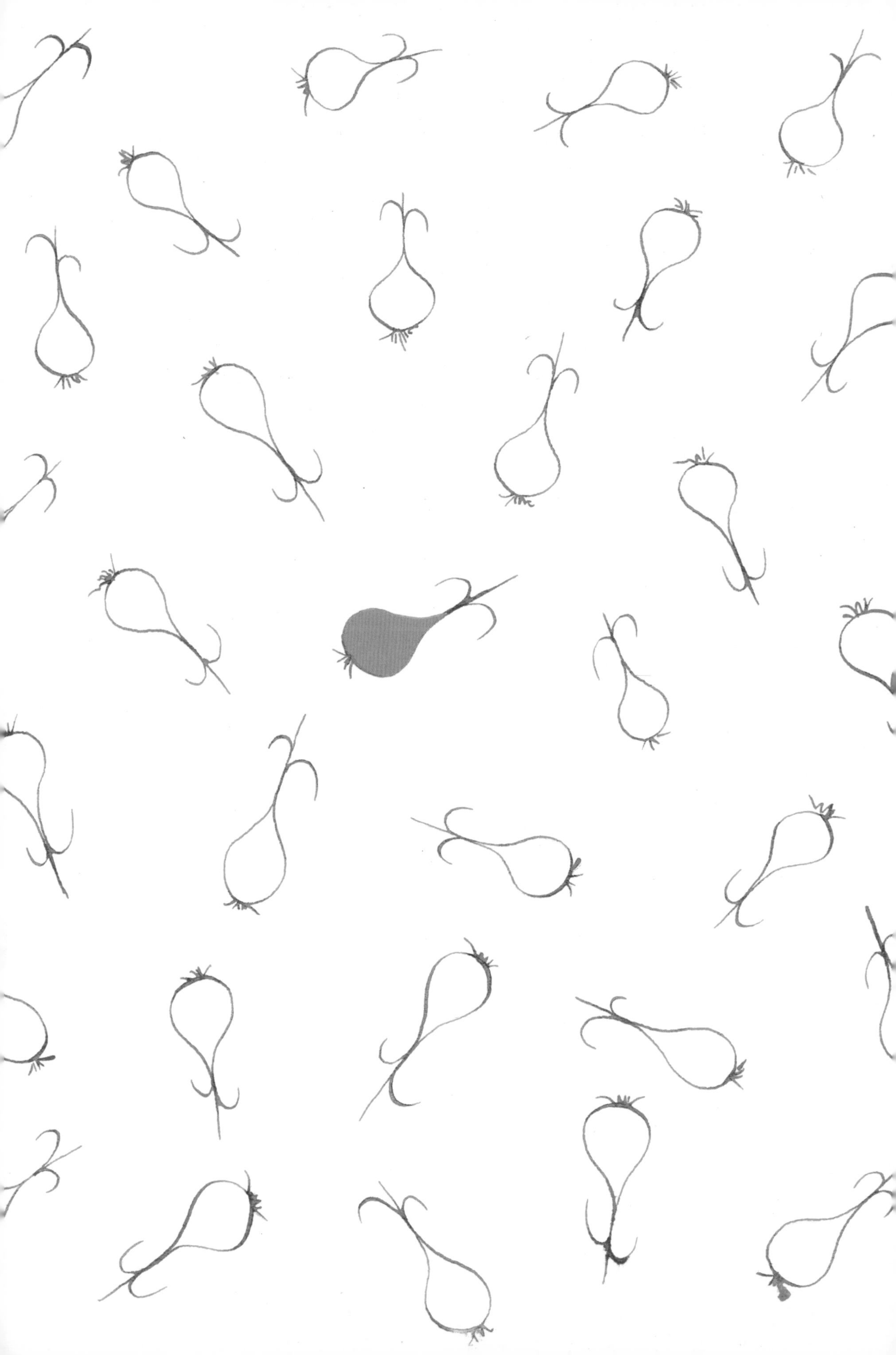